# Arch Noa

## Noah's Ark

RILY

**Cyhoeddwyd gan Rily Publications Ltd 2020**
Rily Publications Ltd, Blwch Post 257, Caerffili, CF83 9FL

Addasiad gan Llinos Dafydd

ISBN 978-1-84967-489-8

Cyhoeddwyd gyntaf yn Saesneg yn 2018
dan y teitl *Noah's Ark* gan Dorling Kindersley Limited
80 Strand, London, WC2R 0RL.


Mae cofnod catalog CIP o'r llyfr hwn ar gael o'r Llyfrgell Brydeinig.

Mae'r cyhoeddwr yn cydnabod cefnogaeth ariannol Cyngor Llyfrau Cymru

Argraffwyd a rhwymwyd yn China

RILY

www.rily.co.uk

# Nodiadau i Rieni, Gofalwyr ac Athrawon

Dyma rai syniadau i annog trafod themâu pwysig stori *Arch Noa* gyda phlant ifanc. Defnyddiwch y nodiadau hyn i ysgogi trafodaeth wrth ddarllen y llyfr ac ar ôl ei ddarllen.

- Mae Duw yn achub Noa a'i deulu oherwydd eu bod nhw'n bobl dda. Gofynnwch i'ch plentyn feddwl am rai enghreifftiau o ymddygiad da a drwg.

- Mae pobl yn chwerthin am ben Noa wrth iddo adeiladu'r arch, ond mae Noa yn garedig ac yn eu rhybuddio am y llifogydd. Pam ei bod yn bwysig bod yn garedig ac yn barod i helpu eraill?

- Mae Duw yn dweud wrth Noa am gasglu dau o bob anifail oherwydd ei fod eisiau achub yr amrywiaeth anhygoel o fywyd gwyllt ar y Ddaear. Gyda'ch plentyn, ewch drwy'r llyfr i weld faint o wahanol anifeiliaid y gallwch chi ddod o hyd iddynt.

- Mae Noa yn gwneud fel mae Duw yn gofyn, ac yn gofalu am ddau o bob math o anifail yn yr arch. Trafodwch pam ei bod yn bwysig i bobl ofalu am anifeiliaid.

Roedd gan Noa a'i wraig dri mab,
ac roedd gan bob mab wraig.
Roedd Noa a'i deulu yn bobl dda iawn.

Doedd pawb ar y Ddaear ddim yn garedig fel teulu Noa. Penderfynodd Duw anfon llifogydd ar y Ddaear er mwyn dechrau eto. Ond roedd eisiau achub Noa a'i deulu.

“Bydd hi’n bwrw glaw am 40 diwrnod a 40 noson,” meddai Duw wrth Noa. “Bydd y byd i gyd o dan ddŵr, ond byddwch chi a’ch teulu yn dal yn fyw.”

Dywedodd wrth Noa am adeiladu cwch enfawr o’r enw arch. “Rhaid i’r arch fod yn ddigon mawr i ddal dau o bob anifail ar y Ddaear.”

Aeth Noa a'i deulu ati i adeiladu'r arch. Roedd ganddyn nhw lawer i'w wneud ac fe gymerodd amser hir iawn.

Roedd pobl yn chwerthin am eu pennau. "Pam ydych chi'n adeiladu'r cwch mawr yna? Dydych chi ddim hyd yn oed yn byw ger y môr."

Dywedodd Noa wrth bobl fod llifogydd enfawr yn dod, ond wnaethon nhw ddim gwrando.

Pan oedd yr arch yn barod, casglodd Noa a'i deulu ddau o bob math o anifail. Fe wnaethon nhw gasglu anifeiliaid mawr, anifeiliaid canolig, ac anifeiliaid bach – ac anifeiliaid a oedd mor bitw roedd yn anodd eu gweld.

Fesul dau, aeth yr anifeiliaid i’r arch.

Daethon nhw o bob rhan o’r Ddaear.

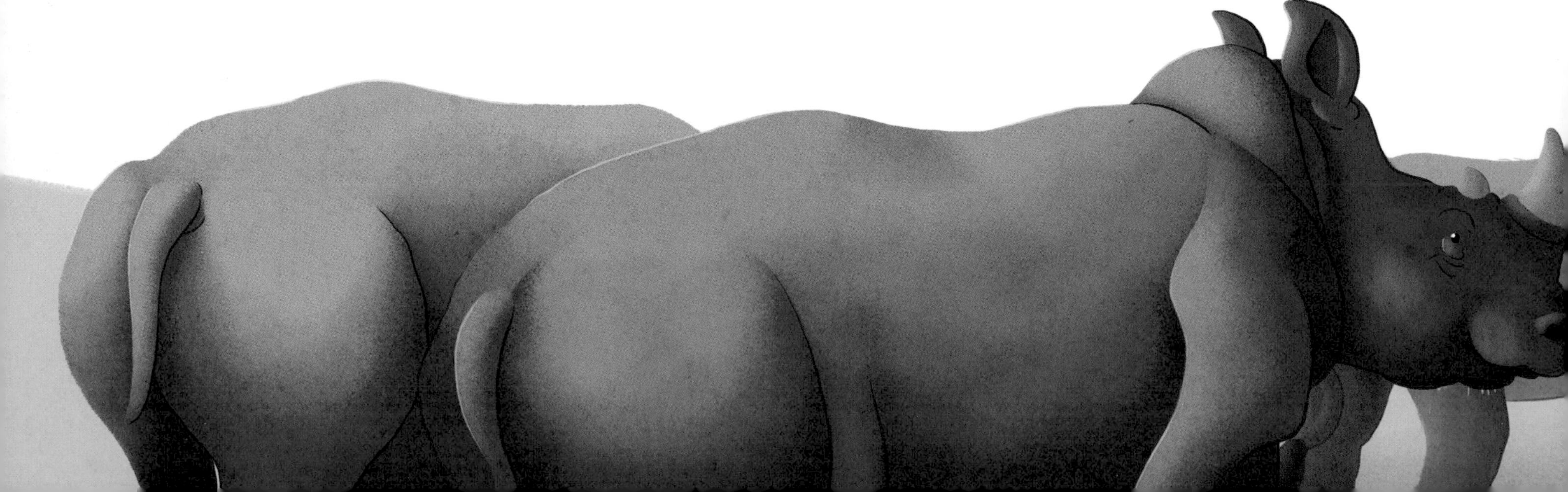

Daeth anifeiliaid o'r jyngl a'r anialwch, y dolydd a'r mynyddoedd. Daeth anifeiliaid o'r môr ac o'r awyr.

O’r diwedd, llanwyd yr arch â dau o bob anifail ar y Ddaear. Roedd digon o fwyd hefyd.

Roedd pawb ar fwrdd y llong. O'r diwedd
roedden nhw'n barod am y llifogydd.

Funud yn ddiweddarach,
dechreuodd y glaw dywallt
o'r awyr.

Cleciodd y taranau
a fflachiodd y mellt.

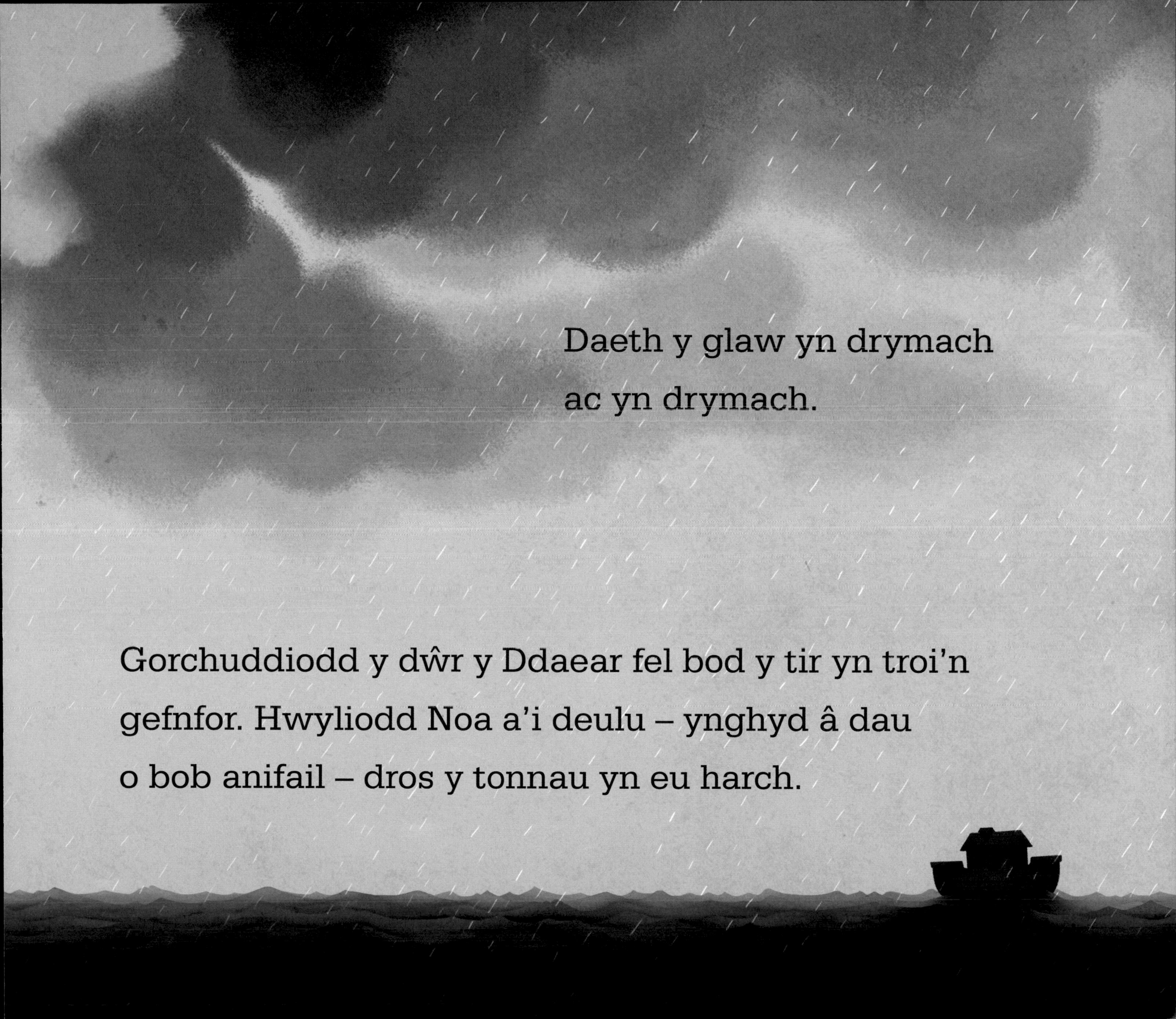

Daeth y glaw yn drymach
ac yn drymach.

Gorchuddiodd y dŵr y Ddaear fel bod y tir yn troi'n
gefnfor. Hwyliodd Noa a'i deulu – ynghyd â dau
o bob anifail – dros y tonnau yn eu harch.

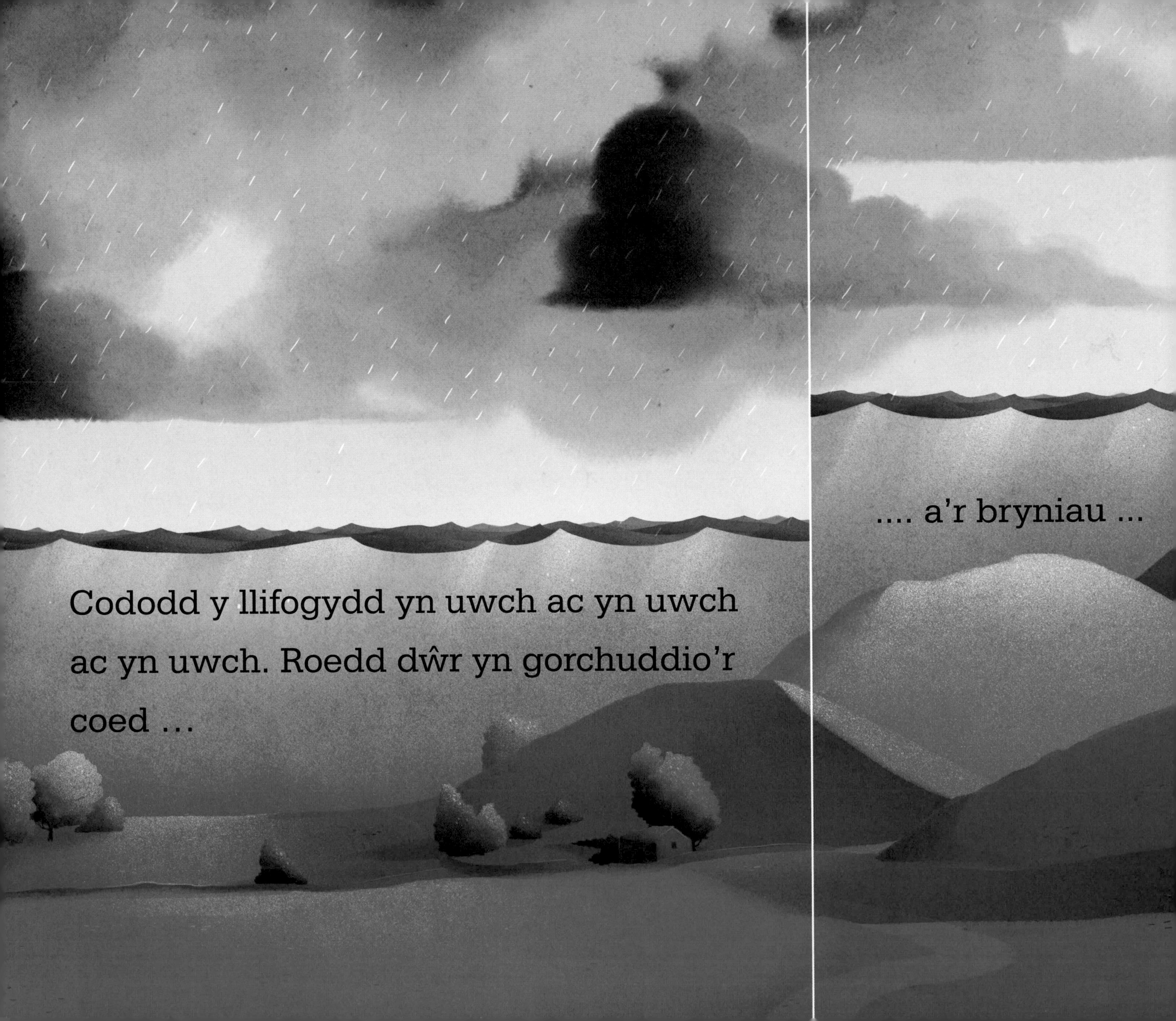

Cododd y llifogydd yn uwch ac yn uwch ac yn uwch. Roedd dŵr yn gorchuddio'r coed …

…. a'r bryniau …

... a hyd yn oed
y mynyddoedd.

Cyn bo hir, yr unig
beth uwchben y dŵr
oedd arch Noa!

O’r diwedd, peidiodd y glaw. Aeth Noa a’i wraig allan ar fwrdd yr arch. Mentrodd rhai anifeiliaid i ymuno â nhw. Gwenodd pawb ar yr olygfa o’u blaen.

Ar ôl 40 diwrnod a 40 noson o law, roedd yr haul yn tywynnu eto.

Wrth i arch Noa hwylio yn yr heulwen lachar,

dechreuodd y dŵr gilio'n araf.

Un diwrnod, gwelodd Noa dir!

Roedd y tir ar ben mynydd o'r enw

Mynydd Ararat. Angorodd Noa yr arch yno.

Wrth i'r wythnosau fynd heibio, aeth y dŵr yn is ac yn is ac yn is. Anfonodd Noa golomen o'r arch er mwyn dod o hyd i dir sych i fyw arno.

Yr wythnos gyntaf, ni ddaeth y golomen o hyd i dir sych.

Yr ail wythnos, dychwelodd y golomen gyda changen olewydd.

Y drydedd wythnos, ni ddychwelodd y golomen o gwbl.

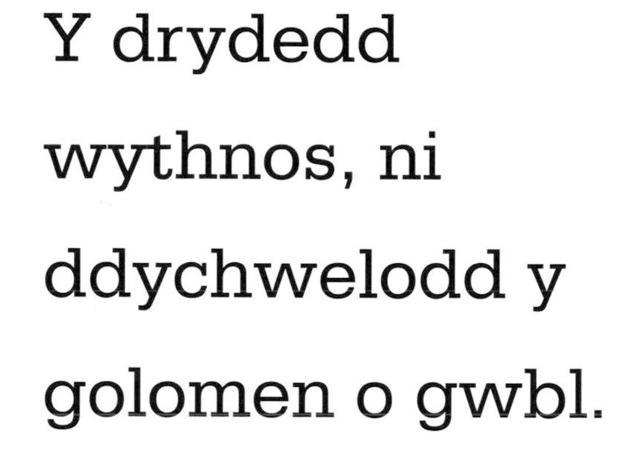

Yn fuan, daeth Noa o hyd i’r golomen a digon o dir sych. Camodd oddi ar yr arch ac ar y tir. Fesul dau, dilynodd yr anifeiliaid.

Gweddïodd Noa ar Dduw. “Diolch am ein hachub rhag y llifogydd mawr.”

Daeth yr anifeiliaid o hyd i gartrefi newydd a chyn bo hir fe wnaethon nhw ddechrau cael babanod.

Cafodd meibion Noa a'u gwragedd fabanod hefyd! Tyfodd y babanod a chawson nhw fwy o fabanod, ac ati, ac ati. Ar ôl blynyddoedd lawer, roedd y Ddaear yn llawn pobl eto. Roedd Duw yn falch.

Addawodd Duw na fyddai byth eto yn anfon llifogydd ar y Ddaear gyfan. Bob hyn a hyn, mae'n anfon enfys ogoneddus ar draws yr awyr i'n hatgoffa o'i addewid.

**Notes for Parents, Carers and Teachers**

Here are some ideas for discussing important themes in *Noah's Ark* with young children.
Use these notes to prompt discussion during and after reading the book.

• God saves Noah and his family because they are good people.
Ask your child to think of some examples of good and bad behaviour.

• People laugh at Noah when he builds the ark, but Noah is kind and warns them about the flood.
Why is it important to be kind and helpful to others?

• God tells Noah to gather two of every animal because he wants to save the amazing variety of wildlife on Earth.
With your child, go through the book and see how many different animals you can find.

• Noah does as God asks and looks after two of every animal on the ark. Discuss why it is important for people to care for animals.